गाला

प्यारी प्यारी मेहँदी डिज़ाइन्स

(Mehandi Designs)

वैशाली

Price : Rs. 20.00

NAVNEET

नवनीत पब्लिकेशन्स (इण्डिया) लिमिटेड

S 136
G 101

Visit us at : www.navneet.com

e-mail : npil@navneet.com

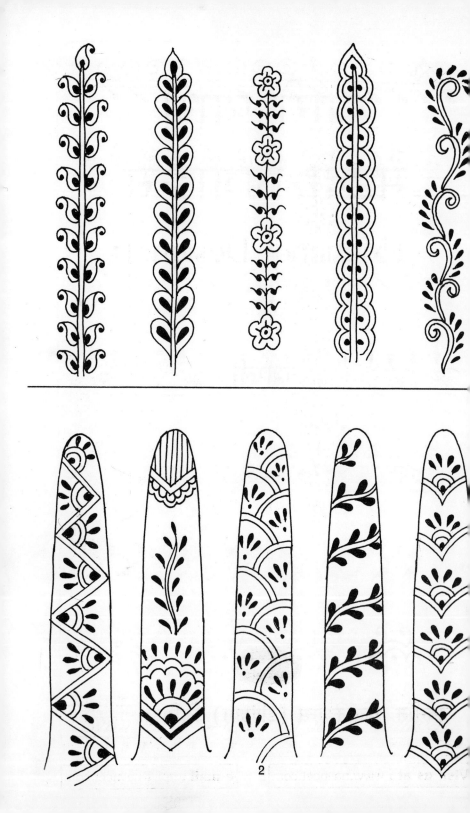

Vaishali

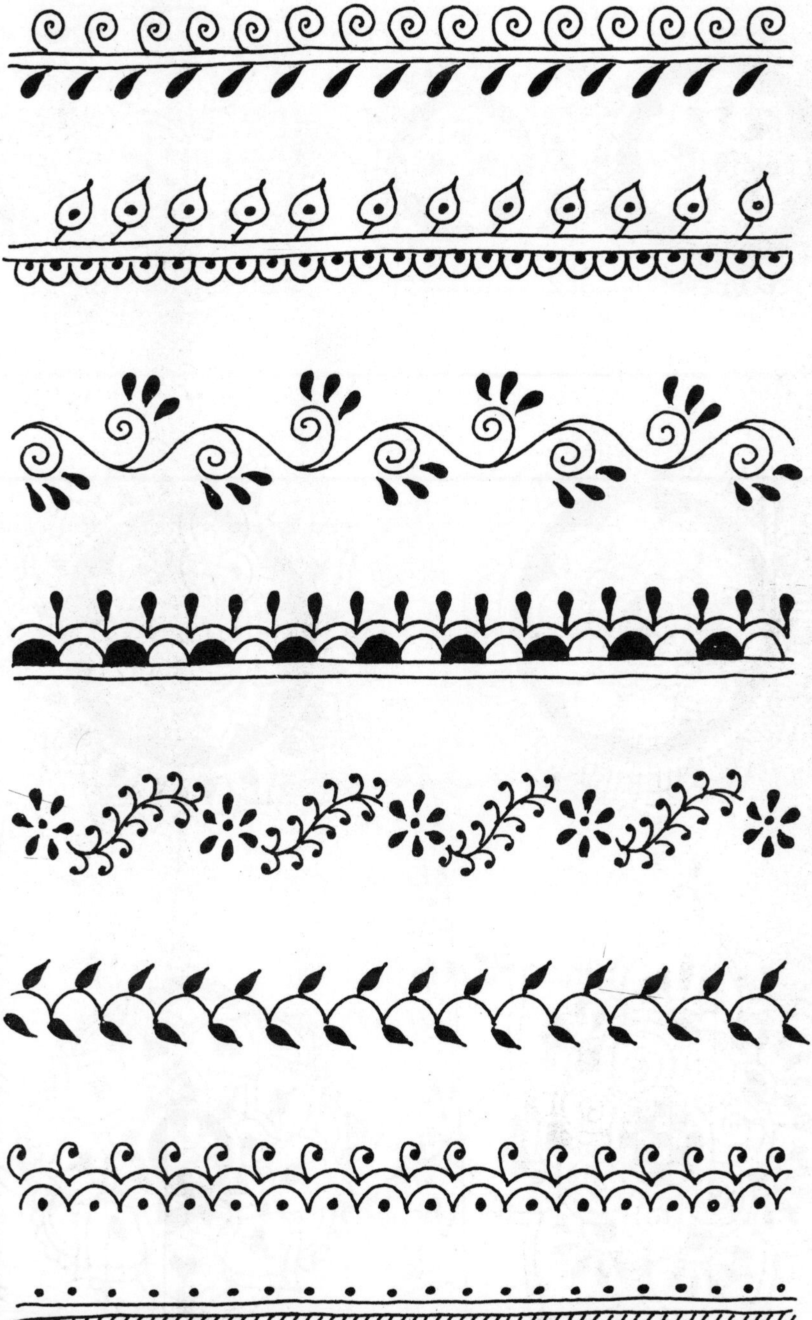

Vaishali

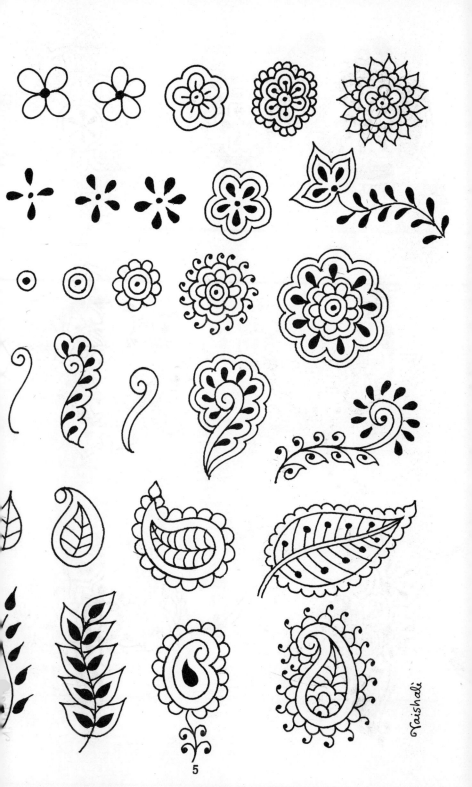

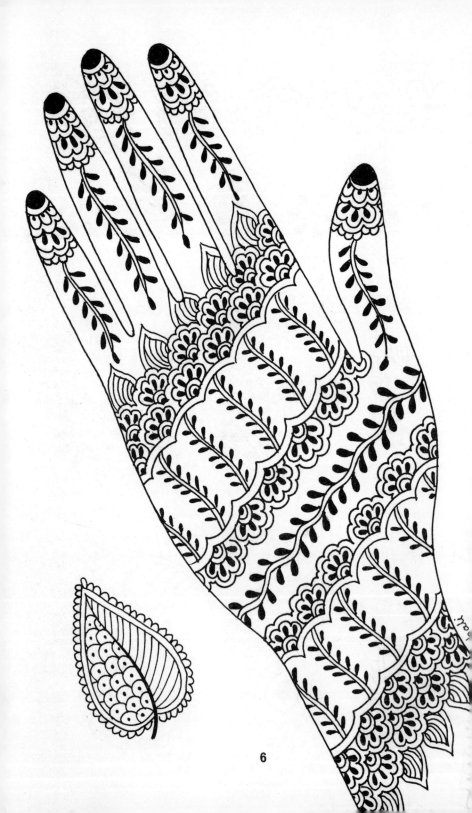

Vaishali

Vaishali

9

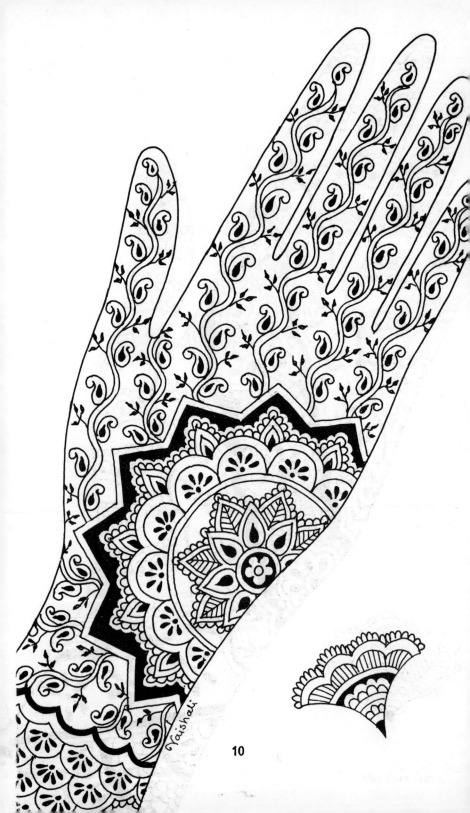

Vaishali

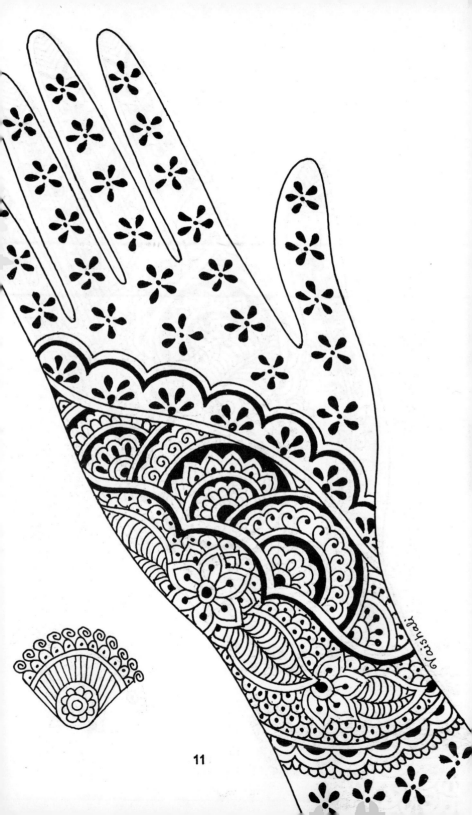

Vaishali

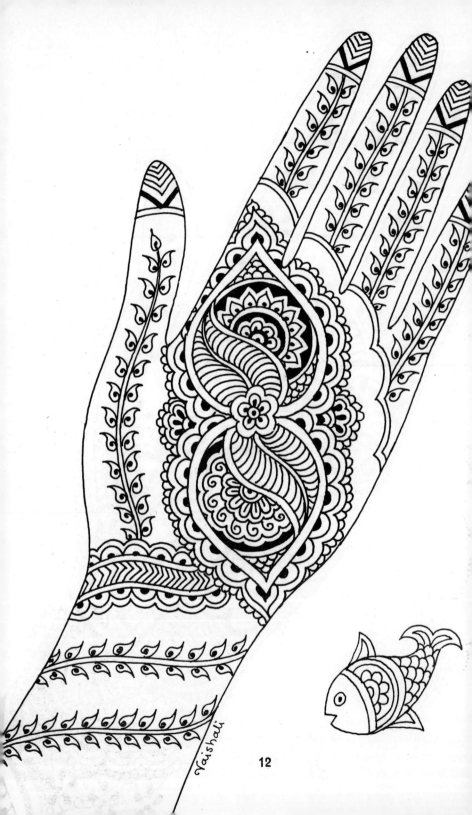

Vaishali

12

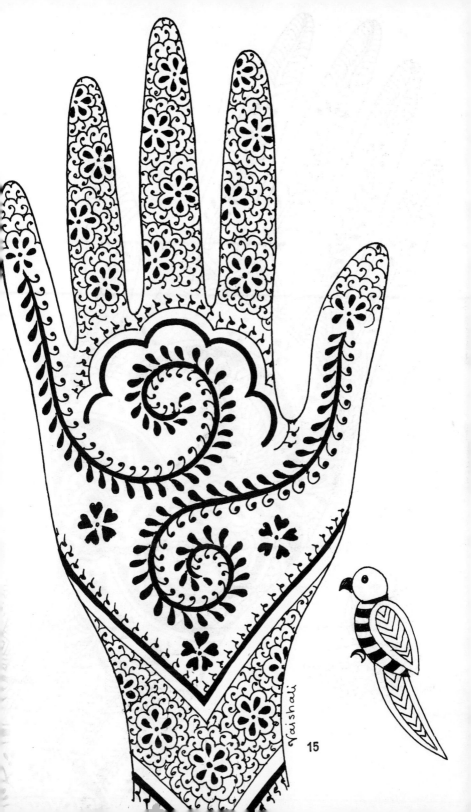

Vaishali

Vaishali

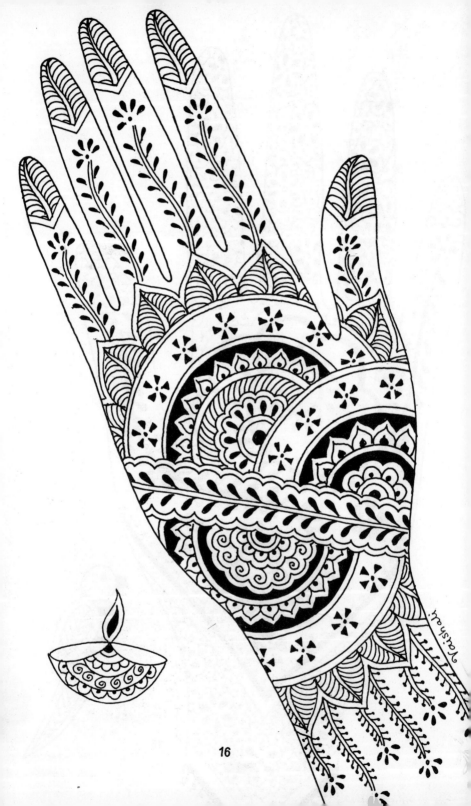

३ / प्यारी प्यारी मेहँदी

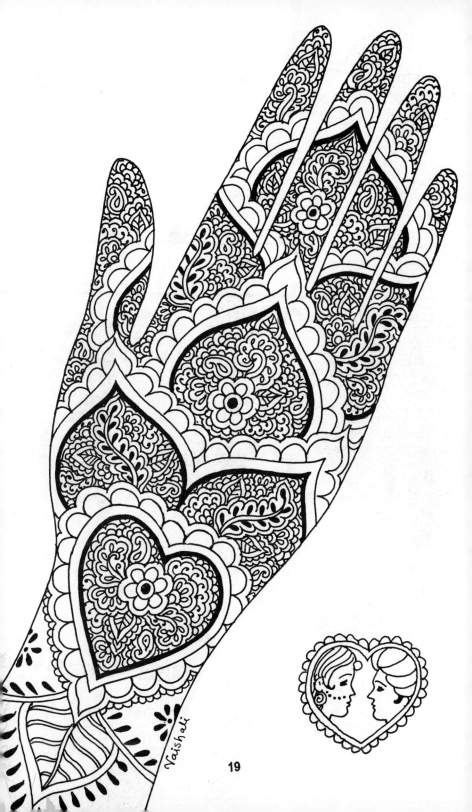

Vaishali

21

Vaishali

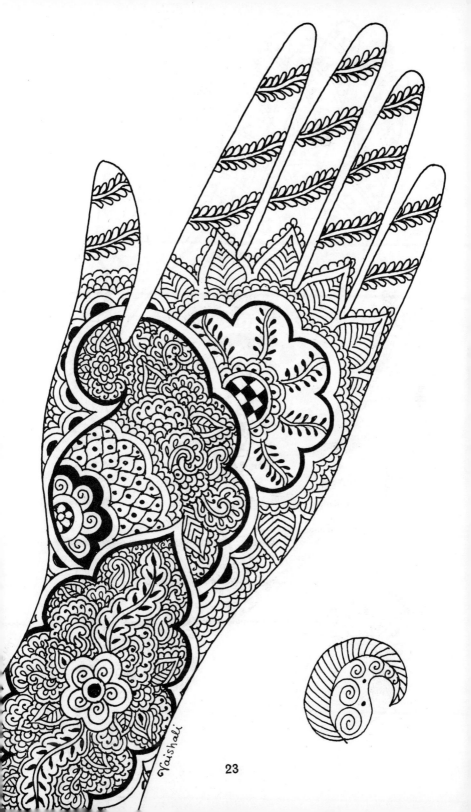

Vaishali

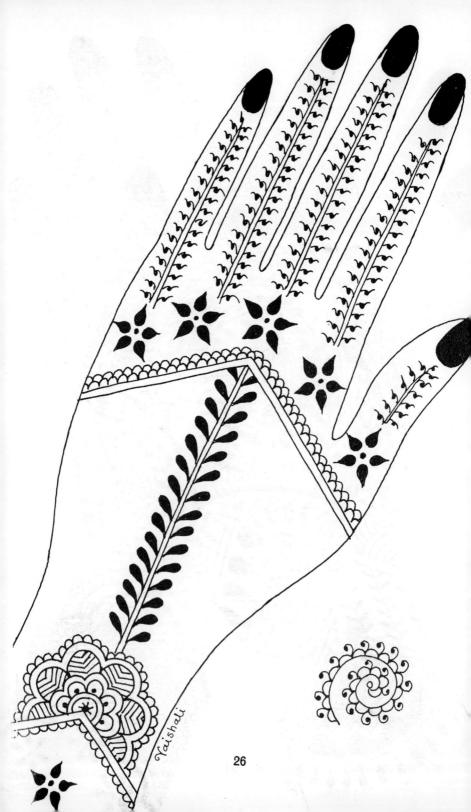

Vaishali

A
Love

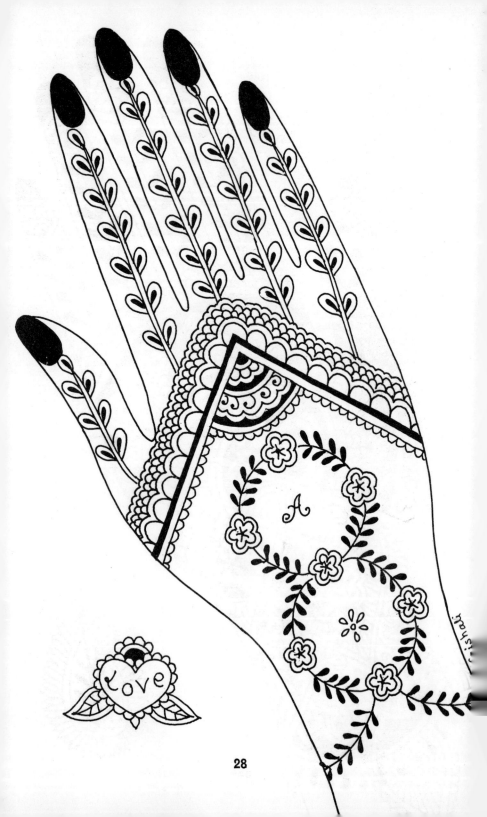

Vaishali

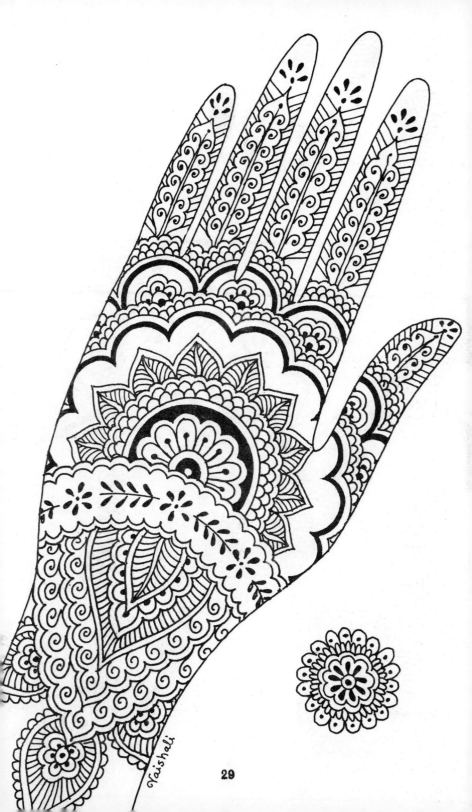

Vaishali

33

Vaishali

34

Vaishali

35

Vaishali

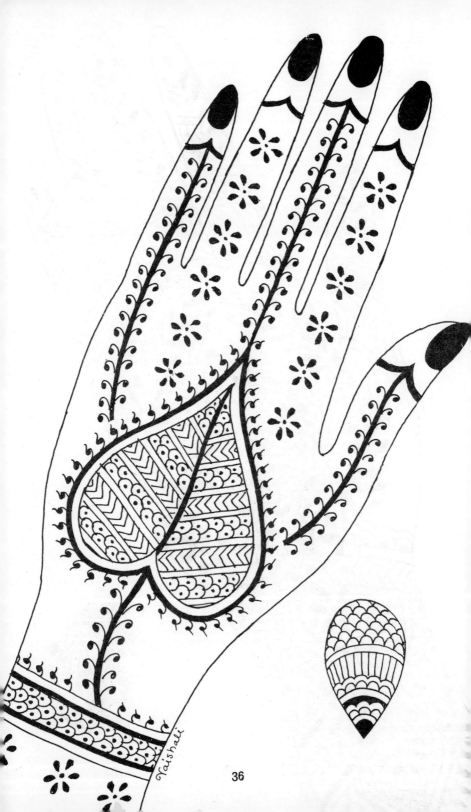

Vaishali

Vaishali

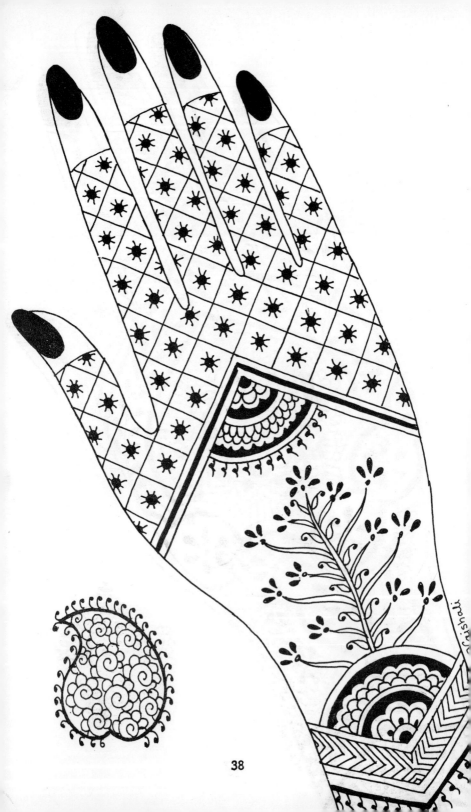

Vaishali

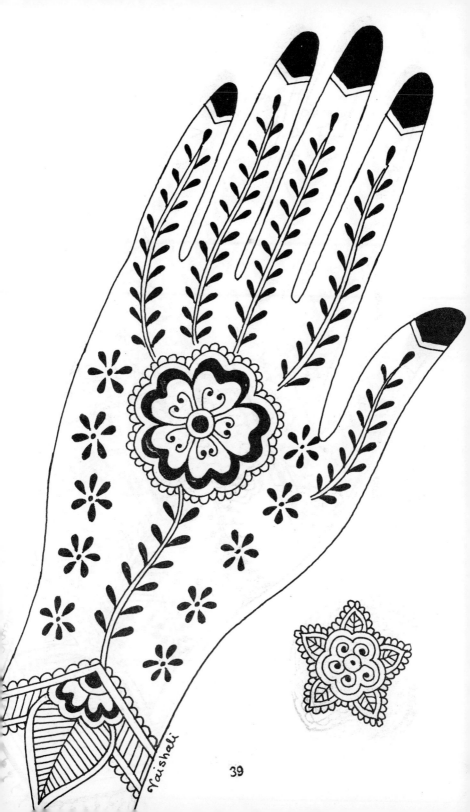

Vaishali

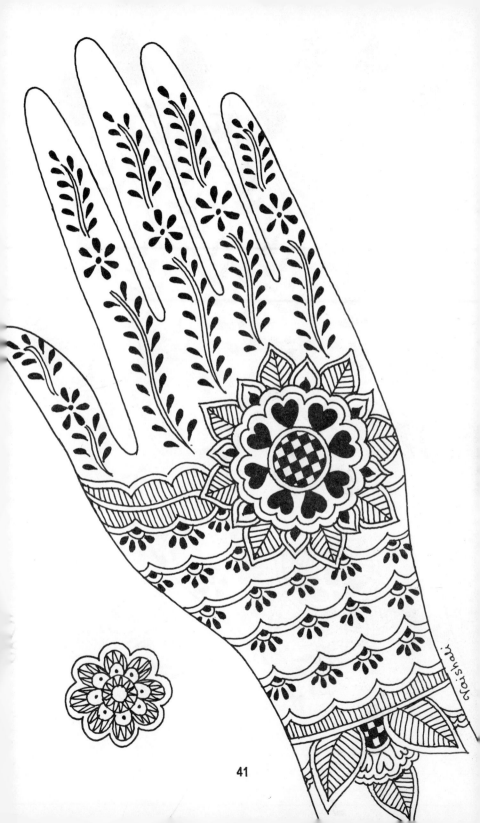

Vaishali

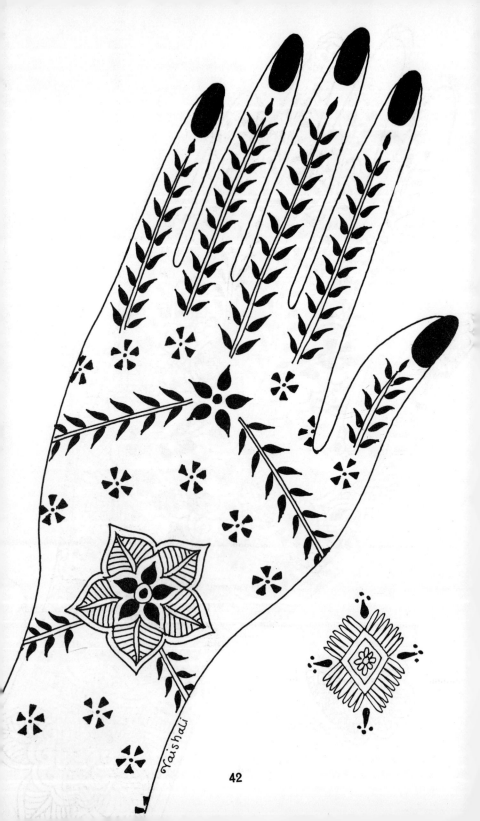

Vaishali

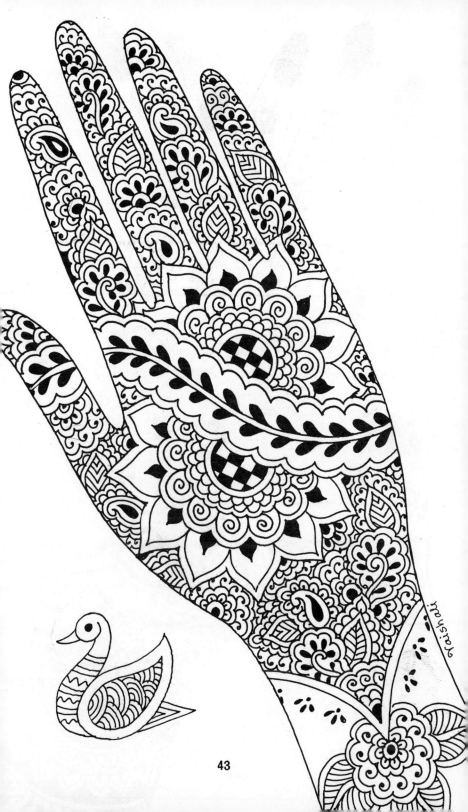

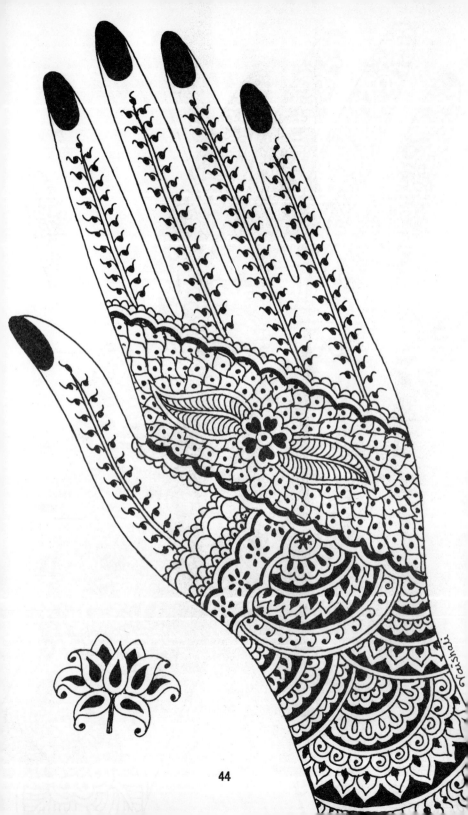

Vaishali

Vaishali

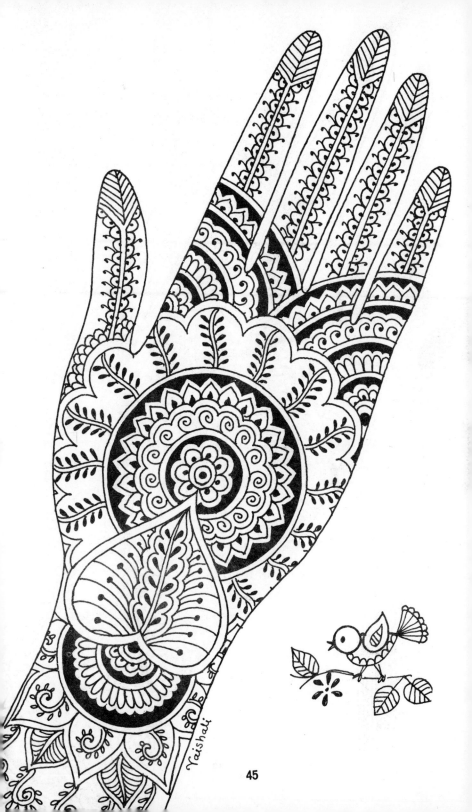

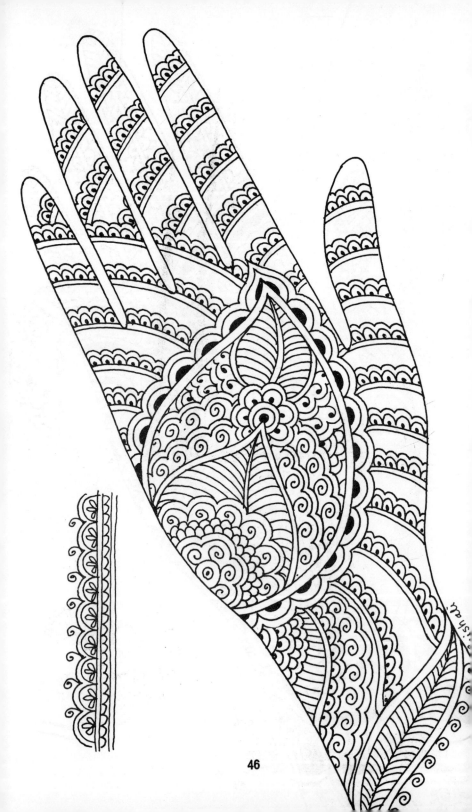

46

Vaishali

Vaishali

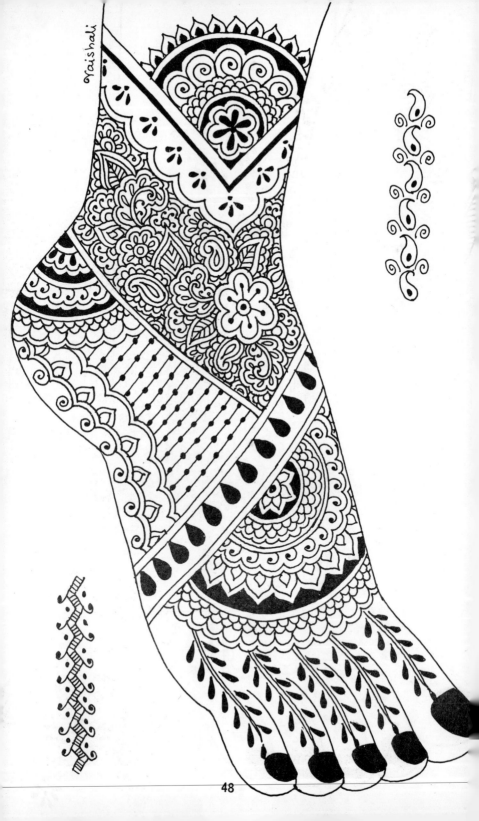

49

Vaishali

50

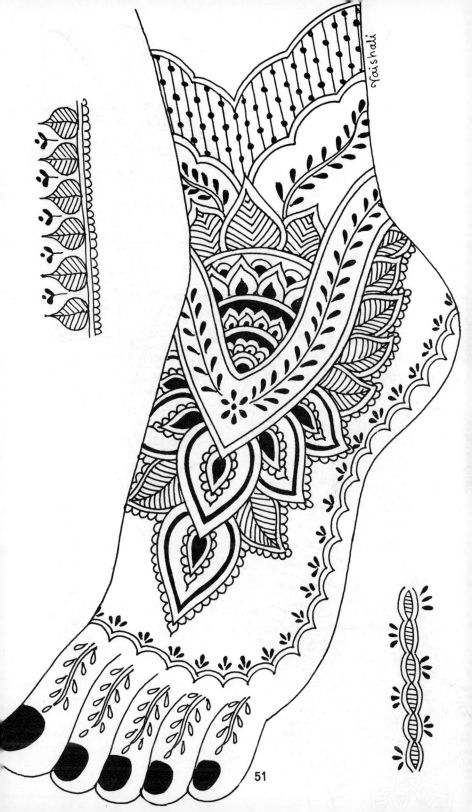

Vaishali

Vaishali

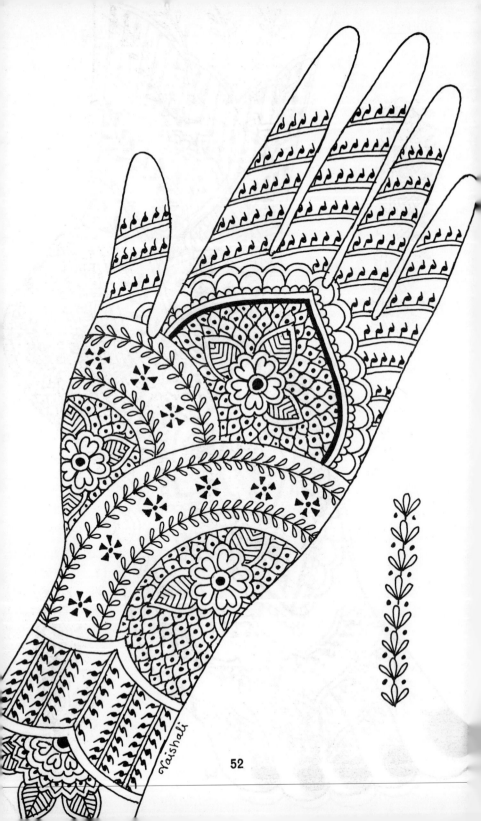

Vaishali

53

Vaishali

Vaishali

મેંદી લગાડવાની રીત

૧. મેંદીનાં પાન સૂકવી તેનો બારીક ભૂકો કરવો. મેંદીનો બારીક ભૂકો બજારમાંથી તૈયાર પણ મળે છે. આ ભૂકાને મલમલના બારીક કપડા વડે બે-ત્રણ વાર ચાળી નાખવો.

૨. ગાળેલા લીંબુના રસમાં નીલગિરિના તેલનાં આઠથી દસ ટીપાં નાખો અને તેમાં મેંદીનો ભૂકો નાખી, બે કલાક ભીંજવી, લૂગદી જેવું બનવા દો. **અથવા**
પાણીમાં આમલી અને ચાનાં પત્તાં નાખીને ઉકાળવું, તે પછી તે પાણીને ગાળી, તેમાં જરૂરી મેંદીનો ભૂકો નાખી, બે કલાક ભીંજવી, લૂગદી જેવું બનવા દો.

૩. મેંદીની આ લૂગદી લગાડવા માટે ઝીણી સળી કે પ્લાસ્ટિકના કાગળના કોનનો ઉપયોગ કરવો. મેંદી લગાડવા માટે બજારમાં હાથીદાંતની, સુખડની અને પ્લાસ્ટિકની ઝીણી સળી તૈયાર પણ મળે છે. સોયનો અણીવાળો ભાગ પણ મેંદી લગાડવાના ઉપયોગમાં લઈ શકાય.

૪. એક પ્યાલીમાં લીંબુના રસમાં ખાંડ નાખેલું મિશ્રણ તૈયાર રાખવું. હાથે કે પગે મૂકેલી મેંદી સુકાઈને ખરી ન પડે તે માટે ચોખ્ખા રૂના પોતાથી આ મિશ્રણ તે ભાગો પર ધીમે ધીમે લગાડવું. પછી બાકીના ભાગો પર મેંદી મૂકવી.

૫. લગાડેલ મેંદી ચાર-પાંચ કલાક પછી ઉખાડવી. વળી મેંદી ઉખાડ્યા પછી પણ બાર-ચૌદ કલાક સુધી તે ભાગ પર પાણી ન અડાડવું. આમ કરવાથી મેંદીનો રંગ વધુ ને વધુ ઘેરો બનશે.

૬. મેંદી ઉખાડ્યા પછી તે ભાગ પર રાઈનું તેલ લગાડવું. **અથવા**
લોઢીમાં ચાર-પાંચ લવિંગનો ભૂકો નાખી તપાવો અને તેની આંચમાં મેંદી લગાડેલા ભાગનો શેક કરવો.

मेहँदी लगाने की पद्धति

१. मेहँदी के पत्तों को सुखाकर महीन चूर्ण बनायें। मेहँदी का महीन चूर्ण (पावडर) बाजार में तैयार भी मिलता है। इस चूर्ण को मलमल के बारीक कपड़े से दो-तीन बार छान डालें।

२. नींबू के छाने हुए रस में नीलगिरी तेल की आठ-दस बूँदें डालें। उसमें मेहँदी का चूर्ण डालकर दो घंटे तक भिगोएँ और लुगदी जैसा बनने दें। **अथवा**
पानी में इमली और चाय की पत्तियाँ डालकर उबालें। फिर उस पानी को छानकर उसमें आवश्यक मेहँदी का चूर्ण डालें। उसको दो घंटे तक भिगोकर लुगदी जैसा बनने दें।

३. मेहँदी की इस लुगदी को लगाने के लिए बारीक सलाई या प्लास्टिक के कागज के कोन का उपयोग करें। मेहँदी लगाने के लिए बाजार में हाथीदाँत, चन्दन अथवा प्लास्टिक की बारीक सलाई तैयार भी मिलती है। सूई का नोंकवाला भाग भी मेहँदी लगाने के उपयोग में ले सकते हैं।

४. एक प्याले में नींबू के रस और शक्कर का मिश्रण तैयार रखें। हाथ या पैरों में लगी मेहँदी सूखकर झड न जाए इसलिए स्वच्छ रुई के पोते से वह मिश्रण उन भागों पर धीरे-धीरे लगाईये। बाद में अन्यत्र मेहँदी लगाने की शुरुआत करें।

५. लगाई हुई मेहँदी चार-पाँच घंटे के बाद उखाड़े। मेहँदी उखाड़ने के बाद भी बारह-चौदह घंटे तक उस भाग पर पानी का स्पर्श न होने दें। ऐसा करने से मेहँदी का रंग अधिक गहरा होगा।

६. मेहँदी को उखाड़ने के बाद उस भाग पर राई का तेल लगाएँ। **अथवा**
कडाई या तवे पर चार-पाँच लौंग का चूर्ण डालकर तपाएँ और उसकी आँच में मेहँदी लगे हिस्से को सेंके।

मेंदी लावण्याची रीत

१. मेंदीची पाने सुकवून त्यांची बारीक पूड करा. अशी तयार पूड बाजारातही मिळते. मलमलच्या पातळ फडक्यातून ही पूड दोन-तीनदा गाळून घ्यावी.

२. लिंबाचा रस गाळून त्यात निलगिरी तेलाचे आठ-दहा थेंब टाकावेत. त्यात मेंदीची पूड टाकून ती दोन तास भिजू दयावी व तिचा लगदा तयार होऊ दयावा.

किंवा

पाण्यामध्ये चिंच व चहाची पाने घालून ते पाणी उकळावे. त्यानंतर ते पाणी गाळून त्यामध्ये जरूरीप्रमाणे मेंदीची पूड घालून दोन तास ती भिजत ठेवावी. हृया मिश्रणाचाही लगदा तयार होऊ दयावा.

३. मेंदीच्या हृया भिजलेल्या मिश्रणाचा उपयोग करताना बारीक सळई अथवा प्लास्टिकच्या कागदाच्या कोनाचा उपयोग करावा. हृयासाठी बाजारात हस्तिदंती, चंदनी किंवा प्लास्टिकची सळई विकतही मिळते. सुईच्या टोकाने सुद्धा मेंदी लावता येते.

४. एका पेल्यात लिंबाचा रस आणि साखर यांचे मिश्रण तयार ठेवावे. हातावर अथवा पायावर लावलेली मेंदी सुकून पडून जाऊ नये याकरता स्वच्छ कापूस घेऊन लिंबू साखरेचे हे मिश्रण त्यावर हळूहळू लावावे व नंतर दुसरीकडे मेंदी लावण्यास सुरुवात करावी.

५. मेंदी लावल्यानंतर चार-पाच तासांनी ती काढावी. पण मेंदी काढल्यावरही बारा ते चौदा तास त्या भागाला पाणी लागू देऊ नये. असे केले की, मेंदीचा रंग अधिकाधिक गडद होतो.

६. मेंदी काढून टाकल्यावर त्या भागावर राईचे तेल लावावे.

किंवा

कढईत अथवा तव्यावर चार-पाच लवंगांची पूड टाकून गरम करावी व त्यावर मेंदी लावलेला भाग शेकावा.

Method of applying henna (mehandi)

1. Make fine dust or powder of dried leaves of henna. Henna powder is available from the market also. Sift the powder twice or thrice with the help of fine muslin cloth.

2. Pour eight to ten drops of eucalyptus oil into filtered lemon juice and add henna powder to it. Let this wet mixture be soaked for about two hours to make it a lump.   OR

   Drop leaves of tamarind and tea into water and have it boiled and filtered. Then mix it with required henna powder. Let it be soaked for about two hours to make it a lump.

3. A thin small stick or a plastic paper cone should be used to apply this wet lump of henna. Such sticks of ivory, sandal and plastic are available at the market. The sharp end of a needle can also be used for applying henna.

4. A mixture of lemon juice and sugar should be kept ready in a small bowl. Continue applying this mixture gently with a clean cotton patch to that part of the hand or the leg where henna has been applied; so that the henna does not get dry and fall off. Then proceed with applying henna to other parts of hands and legs.

5. The henna, thus applied should be scraped off after four to five hours. Moreover, care should be taken not to allow water to touch that part where it was applied for about twelve to fourteen hours even after scraping off the henna. This will cause the colour of the henna grow deeper and deeper.

6. After scraping henna apply mustard oil on the parts where henna was applied.   OR

   Heat the powder of four or five cloves on an iron pan and hold the parts to which henna was applied over that heat for some time.

কি ভাবে মেহেন্দি লাগাতে হবে

১। প্রথমে শুকনো মেহেন্দি পাতার মিহি গুড়ো বানাতে হবে। বাজারেও মেহেন্দি গুড়ো পাওয়া যায়। মেহেন্দির গুড়ো পাতলা কাপড় দিয়ে দুতিনবার চেলে নিতে হবে।

২। আট দশ ফোটা ইউকালিটাস তেল ছাকা লেবুর রসে মেলাতে হবে। এখন মেহেন্দির গুড়ো এর মধ্যে দিতে হবে। এটাকে প্রায় দুঘণ্টার মতো রেখে দিতে হবে। তার পর একটা দলা বানাতে হবে।

৩। একটা পাতলা প্লাস্টিকে কাঠি দিয়ে বা ছুচ দিয়ে মেহেন্দি লাগাতে হবে।

৪। একটা পাত্রে লেবুর রস আর চিনি মিলিয়ে রাখতে হবে। যেখানে যেখানে মেহেন্দি লাগানো হয়েছে সেখানে খুব ধীরে ধীরে এই রস লাগাতে হবে। এতে মেহেন্দি তাড়াতাড়ি শুকিয়ে পড়ে যাবে না।

৫। চার পাচ ঘণ্টা পড়ে শুকনো মেহেন্দি ঝেড়ে ফেলতে হবে। খেয়াল রাখতে হবে যেখানে মেহেন্দি লাগানো হয়েছে জল যেন না লাগে। প্রায় দশবারো ঘণ্টা জল লাগানো যাবে না। এতে মেহেন্দির দাগ খুব গাড়ো হবে।

৬। মেহেন্দি ঝেড়ে ফেলার পর সরষের তেল লাগিয়ে রাখতে হবে।

অথবা

চার পাচটা লবঙ্গ লোহার চাটুতে গরম করে যেখানে মেহেন্দি লাগানো হয়েছে সেখানে লাগাতে হবে।

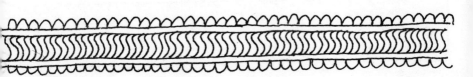

மருதாணி போடும் முறை

1. உலர்ந்த மருதாணி இலைகளை நன்றுகப் பொடி செய்து கொள்ள வேண்டும். மருதாணிப் பொடி கடைகளிலும் கிடைக்கின்றது. பின்பு இந்த பொடியை மெல்லிய மஸ்லின் துணியில் இரண்டு அல்லது மூன்று முறை சலித்து வைத்துக் கொள்ள வேண்டும்.

2. இந்த மருதாணிப் பொடியை 8 முதல் 10 துளிகள் வரை யூகலிப்டஸ் கலந்த வடிகட்டிய எலுமிச்சம் பழச் சாற்றில் சேர்த்து குழைக்க வேண்டும். இவ்வாறு குழைத்துள்ள ஈர மருதாணியை 2 அல்லது 3 மணி நேரம் அப்படியே வைத்திருக்க வேண்டும்.

அல்லது

புளியின் இலைகளையும் டீயையும் நீரில் போட்டு கொதிக்க வைத்து வடிகட்டி அதில் மருதாணிப் பொடியைச் சேர்த்து குழைத்து வைக்கலாம். இவ்வாறு செய்ததையும் இரண்டு அல்லது மூன்று மணி நேரம் அப்படியே வைத்திருக்க வேண்டும்.

3. மெல்லிய சிறிய குச்சியின் உதவியாலோ அல்லது முக்கோண வடிவமைப்புக் கொண்ட பேப்பரின் உதவியாலோ இக்கலவையை கைகளில் போடலாம். சந்தனம், தந்தம், பிளாஸ்டிக் குச்சிகள் கடைகளிலும் கிடைக்கின்றது. ஊசியின் கூரான பாகத்தைக் கொண்டும் இந்தக் கலவையைப் போடலாம்.

4. பின்பு ஒரு சிறிய பாத்திரத்தில் எலுமிச்சம் பழச் சாற்றுடன் சிறிது சர்க்கரையை சேர்த்து தயாராக வைத்துக் கொள்ள வேண்டும். சுத்தமான பஞ்சினால் நனைத்து கை கால்களில் மருதாணி போட்ட இடங்களில் தொடர்ந்து மெதுவாக ஒற்றிக் கொண்டே இருக்க வேண்டும். இவ்வாறு செய்வதால் மருதாணி ஈரம் உலராமலும் அடாந்து விழாமலும் இருக்கும். இதே போல் தொடர்ந்து மருதாணி போட்டுள்ள எல்லா பாகங்களிலும் விடாமல் செய்து கொண்டே இருக்க வேண்டும்.

5. சுமார் 4 அல்லது 5 மணிநேரம் கழித்து மருதாணியை மெதுவாக சுரண்டி எடுக்க வேண்டும். பிறகு சுமார் 12 அல்லது 14 மணி நேரம் மருதாணி போட்ட இடங்களில் தண்ணீர் படாமல் மிகவும் கவனமாகப் பார்த்துக் கொள்ள வேண்டும். இவ்வாறு செய்வதால் மருதாணியின் நிறம் குன்றாமல் சிவப்பாக எடுப்பாக இருக்கும்.

6 இப்போது மருதாணி நீக்கிய இடங்களில் கடுகு எண்ணெயைத் தடவ வேண்டும்.

அல்லது

4 அல்லது ஐந்து கிராம்புகளை நன்றுகப் பொடிசெய்து இரும்பு வாணலியில் போட்டு சூடாக்க வேண்டும். இதன்மீது மருதாணி போடப்பட்ட பாகங்களைக் காட்டி இளம் சூடாக ஆகும்வரை காட்டவேண்டும்.

గోరింటాకు పెట్టుకొనే పద్ధతి (మెహందీ)

1. ఎండిన గోరింట ఆకులు మెత్తగా పొడి చేసికొనవలెను. గోరింట పొడి మార్కెట్‌లో కూడా దొరుకుతుంది. ఆ పొడిని రెండు మూడు సార్లు మస్లిన్ క్లాత్‌లో వేసి జల్లించవలెను.
2. నిమ్మకాయ రసము వడబోసి అందులో 8 లేక 10 చుక్కలు యూకలిప్టస్ ఆయిల్ వేసి అందులో ఈ గోరింటాకు పొడి వేసి కలిపి 2 గంటలు నాననివ్వవలెను. లేక చింత ఆకులు మరియు టీ పొడి నీళ్లలో కలిపి మరిగించివడపోయవలెను. ఈ మరిగించిన నీళ్లలో ఎంత గోరింటాకు పొడి వేస్తే సరిపోతుందో చూసుకొని కలుపుకోవలెను. కలిపి 2 గంటలు బాగా నాననియ్యవలెను.
3. ఈ నానిన గోరింట ముద్ద పెట్టుకొనేందుకు సన్ననిచిన్నపుల్లగాని. ప్లాస్టిక్ కోన్‌గాని వుపయోగించవలెను. ఈ పుల్లలు దంతంతో చేసినవి గాని, గంధపు చెక్కతో చేసినవిగాని, మరియు ప్లాస్టిక్‌తో చేసినవిగాని మార్కెట్‌లో దొరుకుతాయి. చివరసన్నగావున్న సూది కూడా వుపయోగించవచ్చును.
4. నిమ్మరసములో పంచదార వేసి బాగా కలిపి వుంచుకొనవలెను. అందు శుభ్రమైన దూది వుంచి గోరింటాకు వేసికొన్న ప్రదేశములో (చేతిమీద గాని, కాలి మీదగాని) ఆ దూదితో ఆ నీళ్లని కొంచెము కొంచెముగా అద్దుతూ వుండవలెను. ఈ విధముగా చేసిన ఎడల పెట్టుకున్న గోరింటాకు ఎండి రాలిపోదు.
5. పై చెప్పిన విధముగా పెట్టుకొన్న తరువాత 4 లేక 5 గంటలు వుంచుకొనిన తరువాత తీసి వేయవలెను. గోరింటాకు తీసి వేసిన తరువాత 12 నుంచి 14 గంటలవరకు నీళ్లతో కడుగరాదు. ఇట్లు చేసినచో చాలా ముదురు రంగుగా పండుతుంది.
6. తరువాత గోరింటాకు పెట్టుకొన్న చేతులకు గాని కాళ్లకు గాని ఆవనూనే **(Mustard)** రాయాలి. లేక 4 లేక 5 లవంగాలు పొడి చేసి పెనము మీద వేసి స్టవ్ మీద పెట్టి వేడి చేస్తే సన్నని పొగవస్తుంది. గోరింటాకు పెట్టుకొన్న చేతులుగాని, కాళ్లుగాని ఈ పొగమీద పెట్టివెచ్చ చేయవలెను.

ಮೆಹಂದಿಯನ್ನು ಉಪಯೋಗಿಸುವ ವಿಧಾನ

1. ಮೆಹಂದಿಯ ಒಣಗಿದ ಎಲೆಯನ್ನು ಕುಟ್ಟಿ ಪುಡಿ ಮಾಡಿ ಇಟ್ಟುಕೊಳ್ಳಿರಿ. ಅಥಾವ ಮೆಹಂದಿ ಪುಡಿ ಅಂಗಡಿಯಲ್ಲಿ ಕೂಡ ದೊರೆಯುತ್ತದೆ. ಈ ಪುಡಿಯನ್ನು ಒಂದು ಶುಭ್ರವಾದ ಮಸ್ಲಿನ್ ಬಟ್ಟೆಯಲ್ಲಿ ಜಾಳಿಸಿರಿ.

2. 8 ಅಥಾವ 10 ಬೊಟ್ಟು ನೀಲಗಿರಿ ಎಣ್ಣೆಯನ್ನು ಚೆನ್ನಾಗಿ ಸೊಸಿದ ಲಿಂಬೆಹಣ್ಣಿನ ರಸದಲ್ಲಿ ಹಾಕಿ. ಮೆಹಂದಿ ಪುಡಿಯನ್ನು ಅದರಲ್ಲಿ ಹಾಕಿ ಕದಡಿರಿ. ಇಲ್ಲವೆ ಚಾ ಪುಡಿಯ ಮತ್ತು ಹುಳಿಯ ನೀರನ್ನು ಕುದಿಸಿ ಅದರಲ್ಲಿ ಮೆಹಂದಿಯ ಪುಡಿಯನ್ನು ಕಲಸಬಹುದು. ಮೆಹಂದಿಯ ಮಿಶ್ರಣವನ್ನು ಮಾಡಿರಿ.

3. ಮೆಹಂದಿಯ ಮಿಶ್ರಣವನ್ನು ಉಪಯೋಗಿಸಲು ಬಹಳ ತೆಳಗಿರುವ ಕಡ್ಡಿ ಅಥಾವ ಪ್ಲಾಸ್ಟಿಕ್ ಕೊನ್‌ನ್ನು ಉಪಯೋಗಿಸಬಹುದು, ಇಲ್ಲವೆ ದಂತದ ಕಡ್ಡಿ, ಚಂದನದ ಕಡ್ಡಿ ಅಥಾವ ಪ್ಲಾಸ್ಟಿಕ ಕಡ್ಡಿ ಅಂಗಡಿಯಲ್ಲಿ ಸುಲಭವಾಗಿ ದೊರೆಯುತ್ತದೆ. ಸೂಜಿಯ ಕೊನೆಯಲ್ಲಿ ಕೂಡ ಮೆಹಂದಿಯನ್ನು ಹಚ್ಚಬಹುದು.

4. ಸಕ್ಕರೆ ಮತ್ತು ನಿಂಬೆಹಣ್ಣಿನ ಮಿಶ್ರಣವನ್ನು ಮಾಡಿ ಒಂದು ಪಾತ್ರೆಯಲ್ಲಿ ತಯಾರಿಸಿ ಇಟ್ಟು ಕೊಳ್ಳಬೇಕು. ಒಂದು ಶುಭ್ರವಾದ ಬಟ್ಟೆಯ ಸಹಾಯದಿಂದ ಮೆಹಂದಿಯನ್ನು ಕೈ ಅಥಾವ ಕಾಲಿಗೆ ಹಚ್ಚಿರಿ. ಅದರ ಮೇಲೆ ಕೆಲವು ಹನಿ ಮೇಲಿನ ಮಿಶ್ರಣವನ್ನು ಹನಿಸಿರಿ. ಇದರಿಂದ ಮೆಹಂದಿ ಒಣಗಿ ಕೆಳಗೆ ಬೀಳುವದನ್ನು ತಡೆಯಬಹುದು. ಈ ರೀತಿಯಲ್ಲಿ ಮೆಹಂದಿಯನ್ನು ಕೈ ಮತ್ತು ಕಾಲಿಗೆ ಹಚ್ಚಿರಿ.

5. 4 ಅಥಾವ 5 ತಾಸಿನ ನಂತರ ಮೆಹಂದಿ ಒಣಗಿದ ಮೇಲೆ ಅದನ್ನು ಒರೆಸಿ ತೆಗೆಯಿರಿ. ಇದರ ಮೇಲೆ 12, 14 ತಾಸಿನ ವರೆಗೆ ನೀರು ಬೀಳದಂತೆ ಜಾಗ್ರತೆ ತೆಗೆದುಕೊಳ್ಳಬೇಕು, ಇದರಿಂದ ಮೆಹಂದಿಯ ಬಣ್ಣ ಬಹಳ ಚೆನ್ನಾಗಿ ಬರುತ್ತದೆ.

6. ಮೆಹಂದಿ ತೆಗೆದ ನಂತರ ಆ ಸ್ಥಳಕ್ಕೆ ಸಾಸಿವೆ ಎಣ್ಣೆಯನ್ನು ಒರೆಸಿರಿ. ಅಥಾವ 4, 5 ಲವಂಗ ವನ್ನು ಕುಟ್ಟಿ ಪುಡಿ ಮಾಡಿ ಅದನ್ನು ಒಂದು ಕಬ್ಬಣದ ಪಾತ್ರೆಯಲ್ಲಿ ಬಿಸಿ ಮಾಡಿ ಕೈಗೆ ಹಚ್ಚಿದರೆ ಬಣ್ಣ ಬೇಗನೆ ಹೋಗುವದಿಲ್ಲ.

മൈലാഞ്ചി ചമക്കുവാനുള്ള രീതി

1. ഉണങ്ങിയ മൈലാഞ്ചി ഇല നല്ലപോലെ പൊടിക്കുക. പൊടി കടയിലും കിട്ടും. മസ്‌ലിനോ, നല്ല നേരിയ തുണിയോ എടുത്ത് പൊടി രണ്ടു മൂന്നു പ്രാവശ്യം അരിക്കുക. പൊടി മിനുസംകൂടുംതോറും നല്ലത്.

2. കരടില്ലാതെ അരിച്ചെടുത്ത ചെറുനാരങ്ങ നീരിൽ എട്ടു പത്തു തുള്ളി യൂക്കാലിപ്റ്റ്‌സ് തൈലം ഒഴിച്ച്, ആവശ്യംപോലെ മൈലാഞ്ചി പൊടി ചേർത്ത് കുഴച്ച് സുമാർ രണ്ടു മണിക്കൂർനേരം ഊറുവാൻ വെയ്ക്കുക.

   അല്ലെങ്കിൽ

   പുളിയിലയും ചായ ഇലയും വെള്ളത്തിലിട്ടു തിളപ്പിച്ച്, അരിയ്ക്കുക. ആവശ്യമുള്ള മൈലാഞ്ചി പൊടി അതിലിട്ടു നല്ലപോലെ കുഴച്ച് രണ്ടു മണിക്കൂർനേരം ഊറുവാൻ വെയ്ക്കുക.

3. ഈർക്കിലി കനത്തിൽ നേരിയ ഒരു പ്ലാസ്റ്റിക്ക കടലാസു കൊണ്ടുണ്ടാക്കിയ ഒരു കോണോ എടുത്ത് മൈലാഞ്ചി ഡിസൈൻ ഇടാം. ആനക്കൊമ്പ്, ചന്ദനം, പ്ലാസ്റ്റിക്ക് എന്നിവ കൊണ്ടുണ്ടാക്കിയ നേരിയ കമ്പ് കടയിൽ കിട്ടും. സൂചിയുടെ മുനയും ഉപയോഗിക്കാം.

4. ചെറുനാരങ്ങ നീരിൽ പഞ്ചസാര ചാലിച്ച് നേരത്തേ തയ്യാറാക്കിയ ദ്രാവകത്തിൽ നല്ല നേരിയ തുണിയോ പഞ്ഞിയോ മുക്കി ഡിസൈൻ ചമച്ചിരിയ്ക്കുന്നതിനു മീതെ മൃദുവായി തലോടിയാൽ അത് ഉണങ്ങി കുതിർന്നു് വീഴുന്നതല്ല. പിന്നീട് മറ്റു ഭാഗങ്ങളിൽ ഡിസൈൻ ഇട്ടു തുടങ്ങാം.

5. നാലഞ്ചു മണിക്കൂറിനുശേഷം മൈലാഞ്ചി ഡിസൈൻ ചുരണ്ടിക്കളയാം, പക്ഷേ പന്ത്രണ്ടു പതിനഞ്ചു മണിക്കൂർ നേരത്തോളം വെള്ളം തട്ടാതെ സൂക്ഷിക്കണം. എന്നാൽ ഡിസൈൻ ദീർഘകാലം വരെ മാഞ്ഞു പോകാതിരിക്കും.

6. മൈലാഞ്ചി ചുരണ്ടി കളഞ്ഞതിനുശേഷം ഡിസൈനിനുമേൽ കടുകെണ്ണ തലോടുക.

   അല്ലെങ്കിൽ

   നാലോ, അഞ്ചോ കരയാമ്പൂവ് പൊടിച്ച് ഒരു കോരിയിലോ മറ്റോ നല്ലപോലെ ചൂടു പിടിപ്പിച്ച് ഡിസൈൻ ചൂടു പിടിപ്പിക്കുകയും ചെയ്യാം.

مہندی لگانے کا طریقہ

۱۔ مہندی کے پتوں کو سکھا کر باریک سفوف بنائیے ۔ تیار سفوف کے پیکیٹ بازار میں ملتے ہیں ۔

۲۔ اس سفوف کو ململ کے کپڑے سے دو یا تین بار چھان لیجیے ۔

۳۔ لیموں کے چھانے ہوئے رس میں نیلگری کے تیل کے آٹھ دس قطرے ملائیے ۔ اس کے بعد چھانی ہوئی مہندی کو اس میں اچھی طرح گھول کر اسکی لگدی بنائیے ، اور اُسے دو گھنٹے تک رکھیے ۔

یا

املی کے پانی میں چائے کی پتیاں ڈال کر اُبالیے ، اُسے چھانیے اور اسمیں چھانی ہوئی مہندی کے سفوف کو اچھی طرح گھول کر اس کی لگدی بنائیے اور اسے دو گھنٹے تک رکھیے ۔

۴۔ مہندی لگانے کے لیے باریک سلائی استعمال کیجیے ۔ سوئی کی نوک سے بھی مہندی لگا سکتے ہیں ۔ بازار میں صندل ، ہاتھی دانت اور پلاسٹک کی سلائیاں ملتی ہیں ۔ آج کل پلاسٹک کے کاغذی کون (cone) سے بھی مہندی لگاتے ہیں ۔ یہ آسان طریقہ ہے ۔ اِس سے مہندی جلد لگتی ہے ۔

۵۔ ایک پیالی میں لیموں کا رس نکالیے ، اُسے چھانیے اور اس میں تھوڑی سی شکر گھولیے ۔ ہاتھ یا پیر پر لگائی ہوئی مہندی جلد سوکھ کر جھڑنے لگتی ہے ، اس لیے صاف روئی کے پھائے کی مدد سے یہ رَس مہندی پر لگاتے رہیے تاکہ مہندی چپکی رہے اور جھڑنے نہ پائے ، اس طرح مہندی لگانے کا کام جاری رکھیے ۔

۶۔ لگائی ہوئی مہندی چار پانچ گھنٹے کے بعد نکالیے ۔ مہندی نکالنے کے بعد ہاتھ یا پاؤں کو چودہ یا پندرہ گھنٹے تک پانی میں نہ ڈالیے ۔ اِس احتیاط کی وجہ سے رنگ نکھر آئے گا ، نقش و نگار اُبھر آئیں گے ۔

۷۔ مہندی نکالنے کے بعد ، مہندی لگے ہوئے حصّوں پر رائی کا تیل لگائیے ۔

۸۔ کڑھائی یا توے پر چار پانچ لونگ کا سفوف ڈال کر چولھے پر تپائیے اور اس کی آنچ سے مہندی لگے ہوئے حصّے کو سینکیے ۔

Published by Navneet Publications (India) Ltd., Dantali, Gujarat.
Printed by Sagar Offset, Ahmedabad. Tel. 660 06 22

01 S 136 21